Phidal

2002 Éditions Phidal inc.
Publié par les Éditions Phidal inc.
5740 Ferrier, Montréal, Québec, Canada H4P 1M7

Imprimé au Canada

Texte : Frédérique Pelletier-Lamoureux

www.phidal.com

ISBN : 2-7643-0536-2

Nous reconnaissons l'aide financière du gouvernement du Canada par l'entremise du PADIÉ pour nos activités d'édition.

Pendant des siècles, toutes sortes d'histoires circulèrent au sujet du célèbre capitaine Nathaniel Flint et de sa bande de pirates. Ensemble, ces brigands avaient pillé nombre de navires marchands, et avaient caché leur immense butin – appelé le butin des Mille Mondes – dans un lieu que personne n'avait encore pu découvrir. On savait seulement que ces richesses se trouvaient quelque part au fin fond de la galaxie… sur la mystérieuse et bien nommée Planète au Trésor.

« Yahouuu ! » criait à tue-tête Jim Hawkins, un garçon de quinze ans, en fendant l'azur à bord de sa planche à voile solaire. Il adorait pratiquer ce sport au-dessus de la planète minière de Montrésor, où il vivait avec sa mère Sarah. Peu d'autres choses parvenaient à le distraire, car la vie était difficile depuis que son père était parti. Sarah s'efforçait maintenant d'assurer leur subsistance en dirigeant seule l'auberge Benbow.

Ce jour-là, Jim évoluait dans les airs, insouciant et joyeux, sans se douter des événements qui allaient bientôt bouleverser son existence entière…

Tout à coup, un vaisseau étranger vint s'écraser sur Montrésor. Jim s'élança pour porter secours au pilote, une créature bizarre nommée Billy Bones, qu'il réussit à traîner jusqu'à l'auberge. Mais, sous le regard impuissant du Dr Doppler, Bones s'effondra, mourant. Il tendit à Jim un paquet rond et lui dit dans son dernier souffle :

« Ne *les* laissez pas s'en emparer… et méfiez-vous du *cyborg* ! »

Aussitôt, des pirates attaquèrent l'auberge, accompagnés d'un individu mi-homme mi-machine… un *cyborg* ! et mirent le feu à l'établissement.

La mère et le fils, réfugiés chez le Dr Doppler, virent le précieux paquet libérer une sphère holographique aux dessins complexes. « C'est la carte de la Planète au Trésor ! » s'exclama Jim.

« Je suis prêt à financer une expédition, annonça le docteur. Je peux louer un navire, avec capitaine et équipage ! »

Alors, un peu à contrecœur, Sarah permit à son fils de faire le voyage sous la garde de son vieil ami Doppler. Jim n'avait jamais été aussi fier !

À bord du RLS Legacy, Doppler et Jim se présentèrent au capitaine Amélia, une étrangère aux allures de félin, qui mit la carte sous clef en leur déclarant : « Les hommes que vous avez embauchés ne m'inspirent rien de bon. Ne leur parlez surtout pas du trésor. »

Ensuite, elle envoya Jim commencer son travail de garçon de cabine.

Sur le pont, Jim fit la connaissance du cuisinier John Silver et de Morph, un petit être facétieux qui lui servait d'animal de compagnie, et qui pouvait prendre n'importe quelle apparence ou imiter n'importe quel son.

Découvrant que Silver était un *cyborg*, le jeune homme lui raconta innocemment sa rencontre avec Billy Bones, puis lui posa des questions. Le cuisinier, qui le trouvait trop curieux, se jura de le tenir à l'œil.

Après que le vaisseau eut décollé, Jim se mettait à l'ouvrage, quand il surprit des chuchotements. Il dressa l'oreille. Brusquement, un sinistre personnage du nom de Scroop lui tomba dessus. « Toi, tu vas te mêler de tes affaires ! » dit-il, menaçant.

Silver arriva juste à temps, suivi de l'officier M. Arrow qui rappela aux matelots que toute bagarre était interdite à bord. En réalité, ceux-ci étaient des pirates, et John Silver était leur chef ! Mais lui non plus ne voulait pas de désordre… du moins jusqu'au moment prévu pour la mutinerie.

Plus tard, en bavardant avec Jim, le cuisinier comprit combien celui-ci se sentait seul depuis l'abandon de son père, et combien il serait facile de combler ce vide par une attitude paternelle. Sensible à l'autorité de Silver, le garçon apprit de lui tout ce qu'on doit savoir sur un navire. Les semaines passant, il s'attacha à lui de plus en plus, même s'il n'oubliait pas pour autant son vrai père.

Une nuit, le RLS Legacy fut pris dans une violente tempête. Sur le point d'être aspiré par un trou noir, il échappa de justesse à la catastrophe grâce aux calculs savants du Dr Doppler et à l'assistance de Jim.

Tous sortirent indemnes de cet épisode mouvementé… tous sauf l'officier Arrow, que Scroop avait sournoisement précipité dans l'espace en coupant sa corde de sécurité !

Lorsqu'on s'aperçut de la disparition de M. Arrow, on accusa Jim d'avoir négligé sa tâche, qui était de vérifier l'arrimage des cordes. Le pauvre garçon se défendit, mais personne ne le crut. Découragé, il se retira dans un coin pour méditer.

Silver savait Scroop responsable du prétendu accident, mais il ne pouvait dire la vérité – et encore moins dénoncer l'un de ses complices. Cependant, il alla retrouver Jim pour le consoler et lui exprimer sa confiance. Ce dernier éprouva une profonde gratitude devant la seule personne qui croyait encore en lui.

Le lendemain matin, tandis que Jim s'habillait, Morph s'enfuit avec l'une de ses bottes pour le taquiner. En le pourchassant, il bascula dans un tonneau, d'où il put assister à une réunion secrète entre Silver et Scroop à propos de la mutinerie.

Jim réalisa qu'il avait été trahi par son soi-disant ami. Il sortit du tonneau et se rua vers la passerelle pour prévenir le capitaine.

Jim se heurta à Silver, mais força le passage. Le *cyborg*, comprenant qu'il n'empêcherait pas le garçon de donner l'alerte, décida d'avancer l'heure de la rébellion. De toute façon, la Planète au Trésor était déjà en vue…

Sur l'ordre de leur chef, les pirates se lancèrent dans l'action, hissant leur propre drapeau et brandissant leurs armes.

Amélia confia la carte du trésor à Jim. « Veillez sur elle comme sur votre vie », lui dit-elle. Puis, avec Doppler, ils tentèrent de fuir, mais les pirates étaient à leurs trousses. Subitement, croyant à un jeu, Morph saisit la carte dans la poche de Jim !

Heureusement, après quelques péripéties, le jeune homme récupéra l'objet. Le trio put enfin monter dans une chaloupe et quitter le vaisseau.

Silver et ses acolytes prirent immédiatement les fugitifs en chasse, tirant sur eux des salves au laser. L'une d'elles creva la grand-voile, et la chaloupe tomba en chute libre sur… la Planète au Trésor !

Ce que les rescapés ne savaient pas encore, c'est que la sphère reprise par Jim n'était autre que le malicieux Morph déguisé. La véritable carte était restée sur le navire…

Amélia, blessée mais stoïque, fut d'avis que la plus grande prudence s'imposait, surtout en l'absence d'une carte des lieux, et elle dépêcha Jim en éclaireur.

Alors que Jim et Morph cherchaient un refuge possible sur cet astre inconnu, ils entendirent un bruit. Un robot quelque peu démantibulé surgit et enserra le garçon.

B.E.N. le robot, jadis au service du capitaine Flint, avait échoué depuis si longtemps en cet endroit désert qu'il était ravi de voir du monde. Il invita les nouveaux venus dans sa demeure. Mais voilà qu'apparut John Silver…

Le *cyborg* ordonna à ses pirates de cesser le feu. Il agitait un drapeau blanc et demanda à négocier avec Jim. Il le pensait donc encore en possession de la carte !

Silver promit une part du trésor en échange de la carte, mais Jim se refusa d'emblée à le croire sincère. Il projeta plutôt d'aller rechercher ce fameux document sur le RLS Legacy à l'insu des pirates. Il utiliserait leur chaloupe pendant qu'ils dormiraient, et B.E.N., qui connaissait bien les environs, pourrait le guider.

Hélas ! par une maladresse, B.E.N. déclencha la sirène du bateau ! La terrible silhouette de Scroop se dessina au sommet de l'escalier, et une poursuite effrénée s'engagea entre Jim et lui… jusqu'à ce qu'une autre fausse manœuvre de B.E.N. ait cette fois pour Scroop des conséquences fatales !

Quand le jeune homme revint avec la carte, les pirates l'attendaient de pied ferme. Il fut fait prisonnier ainsi que ses camarades. Cependant, si John Silver détenait maintenant la carte convoitée, seul Jim était capable de l'ouvrir. Tous partirent donc en quête du trésor. Soudain, Jim vit des hiéroglyphes sur le sol et y déposa la sphère…

Un gigantesque portail triangulaire s'illumina dans le ciel, juste devant eux. Ils pouvaient y voir briller une sorte de mappemonde de l'univers, qui permettait de voyager partout à volonté. Il suffisait de toucher une planète pour que le portail y donne accès !

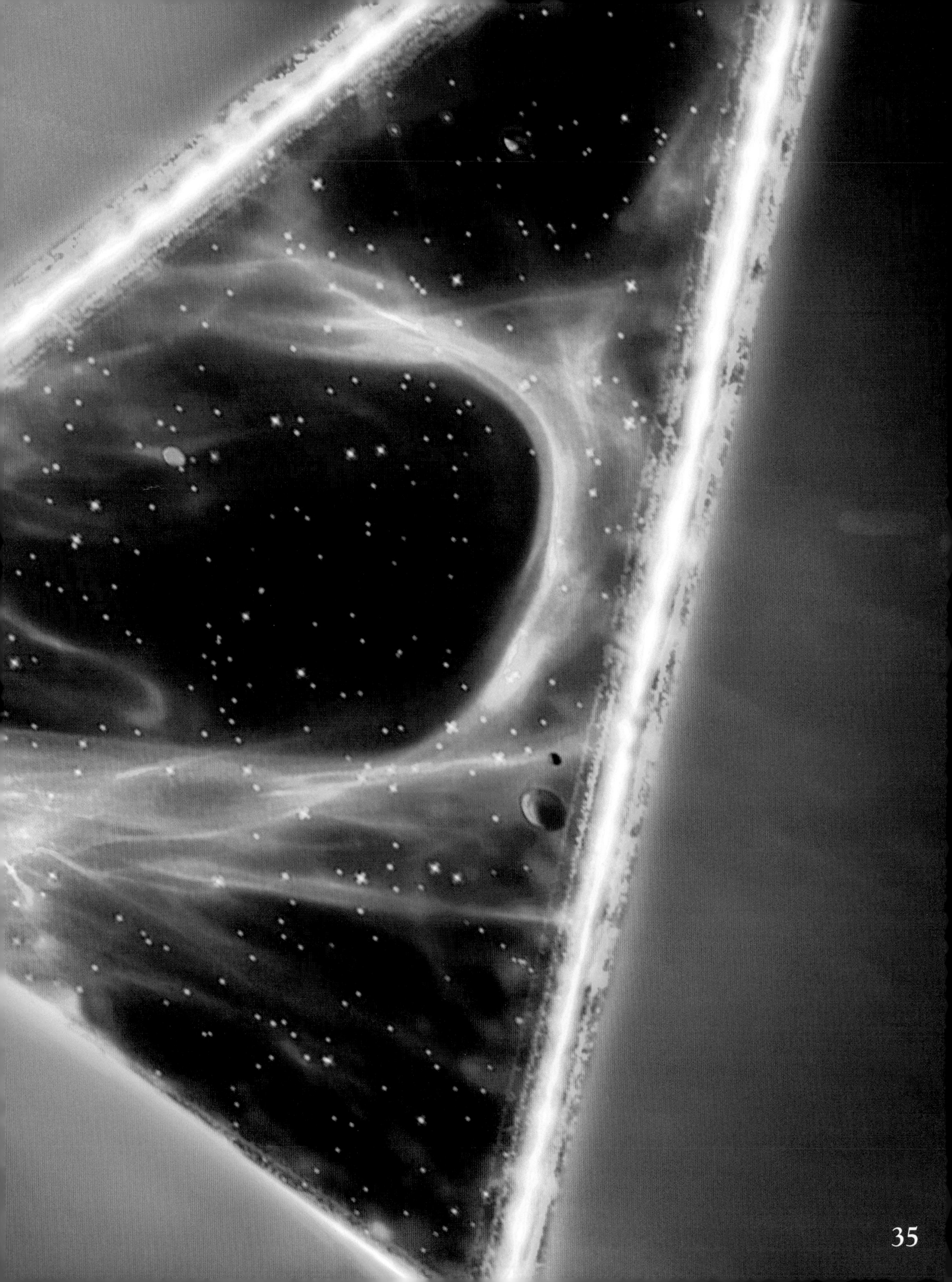

« C'est ainsi que Flint a pu écumer les galaxies ! » fit Jim. Puis, se rappelant une allusion de B.E.N., il pressa le centre du mécanisme, qui devait conduire au centre proprement dit de la Planète au Trésor.

En effet, le portail se modifia, et Jim put le traverser avec les pirates. « Nous sommes bien au cœur de la Planète au Trésor », confirma le garçon. Il y avait là des montagnes d'or et de pierreries, avec le vaisseau de Flint à leur point culminant ! Les pirates ne contenaient plus leur excitation…

Entre-temps, de l'autre côté du portail, Doppler préparait son évasion et celle d'Amélia. La première nécessité était de se détacher les mains. Ils devraient ensuite ruser avec leur gardien.

Quant à lui, Jim avait eu l'idée de remettre en marche le vaisseau de Flint pour s'échapper avec ses amis. Mais, tout à coup, il y vit grimper Silver. La planète avait commencé à se fendre en deux. Le navire fut ébranlé par un énorme faisceau d'énergie, et Jim passa par-dessus bord. Silver avait le choix entre sauver le trésor et sauver Jim. Il décida de secourir le jeune homme !

Silver mettait à peine Jim à l'abri que le navire de Flint explosa derrière eux. Le garçon se rendit compte alors qu'il représentait, pour ce chef des pirates, davantage qu'une interminable course au trésor. Ils passèrent le portail au dernier moment et rejoignirent Doppler, Amélia et tous les autres à bord du RLS Legacy.

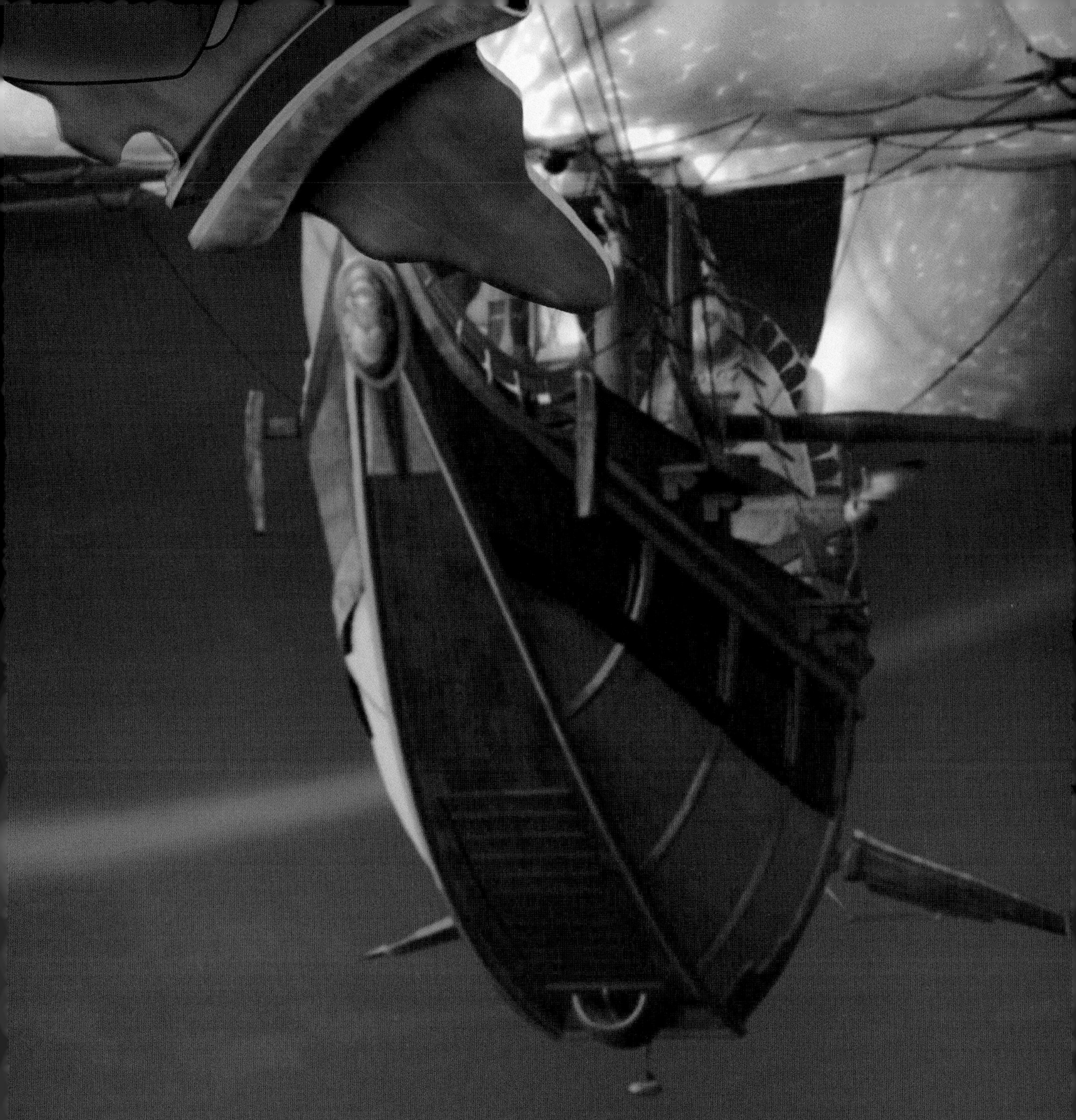

Toutefois, la planète tournait sans cesse autour de son centre, et il semblait bien impossible d'en dégager le RLS Legacy avant l'explosion massive de l'astre. Jim devait pour cela atteindre de l'intérieur le panneau de contrôle du portail, et c'est finalement grâce à ses qualités de *surfer* et à l'aide de Silver qu'il y parvint, faisant l'admiration de tous.

Peu de temps après ce sauvetage inespéré, Jim aperçut Silver, qui lui proposa une nouvelle collaboration. Mais il déclina l'offre en souriant. « Un jour, j'ai rencontré un vieux *cyborg*, qui m'a estimé capable de mener seul ma propre barque… Alors, c'est exactement ce que je vais faire. »

Silver lui rendit fièrement son sourire, et envoya Morph lui porter assez de joyaux pour rebâtir l'auberge Benbow. Ému aux larmes, Jim lui fit ses adieux d'un signe de la main.

Lorsque le RLS Legacy accosta enfin à Crescentia, Jim trouva sa mère sur le quai. Ils s'embrassèrent, envahis par la joie, la tête pleine de projets.

Jim reconstruisit l'auberge, avec B.E.N. et Morph à ses côtés. Mais quelques années plus tard, c'est dans l'uniforme d'un jeune officier qu'il y revint, alors qu'il faisait ses classes à l'Académie Interstellaire et que s'ouvrait devant lui un brillant avenir.